afgeschreven

De avonturen van Max en Vera

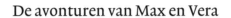

Martin Bril

De avonturen van Max en Vera

Met tekeningen van Marjolein Krijger

Van Goor

STICHTING NEDERLANDSE
KINDERJURY
2005

ISBN 90 00 03585 6
© 2004 voor de tekst Martin Bril
© 2004 voor de illustraties Marjolein Krijger
© 2004 voor deze uitgave Van Goor, Amsterdam
www.van-goor.nl

Inhoud

Knipogen

Max en Vera waren naar elkaar aan het knipogen. Max wilde het Vera leren.

Vera dacht dat je twee ogen tegelijk moest dichtdoen.

'Nee joh,' zei Max, 'een knipoog doe je zo.' En hij gaf haar er één. Hij legde Vera uit dat knipogen het geven van één knipoog betekende en níet dat je een knipoog gaf met twee ogen tegelijk.

'Nee hoor,' zei Vera, 'echt knipogen gaat zo.' En ze knipperde nog een keer met allebei haar ogen.

Max lachte. 'Ik weet zeker dat het met één oog moet,' zei hij. 'En het moet ook snel gaan, anders is het geen knipoog.'

'Ooh,' zei Vera kattig. 'Jij weet altijd alles beter.'

Dat vond Max nu juist helemaal niet. En daarom was hij blij dat hij de knipoog kende. Langzaam deed hij het nog een keer voor. Met zijn favoriete oog, het linker – daar ging het het beste mee.

Vera deed hem na. Haar beste oog was rechts. Maar terwijl ze ermee knipperde, kneep ze ook haar linkeroog weer dicht.

'Niet zo, maar zo!' riep Max. Hij deed het nog een keer voor. En nog een keer. Maar hoe vaker hij het deed, hoe moeilijker het ging. Alsof het andere oog mee wilde doen.

'Nu ik weer,' zei Vera. Ze kneep haar rechteroog dicht en hield haar linker open. Ze kreeg er een scheef gezicht van. Misschien moet ik helemaal niet knijpen, dacht ze toen, misschien moet ik gewoon mijn oog laten dichtvallen, heel eventjes maar. Ze probeerde het meteen.

'Ja,' riep Max blij, 'dat was er eentje.'

'Echt waar?' vroeg Vera. Ze had er zelf niets van gemerkt. Ze deed het nog een keer.

'Weer één,' joelde Max. 'Je kan het, Vera!'

Vera knikte trots. Ze knipoogde.

Max knipoogde terug. Maar niet zoals hij het Vera had geleerd, want zijn rechteroog ging opnieuw tegelijk met zijn linker dicht. Hij voelde dat hij boos werd en probeerde het nog een keer. Gisteren kon hij het nog. En eergisteren ook en zelfs daarnet. Had Vera zijn knipoog afgepakt?

'Goed, hè?' zei Vera. Ze liet weer een prachtige knipoog zien.

Net op tijd bedacht Max dat ze natuurlijk niks van hem had afgepakt. Hij had de knipoog gewoon weggegeven. Maar hij wilde hem wel terug.

'Je kan het alleen maar omdat ik hem aan jou heb gegeven,' zei hij.

8

'Ja,' zei Vera. Ze knipoogde weer.

Max zag hem zijn kant op komen. 'Hebbes,' zei hij en hij pakte de knipoog terug.

Het nest

In de tuin waren vogels bezig nesten te bouwen. Dat was niet moeilijk om te ontdekken, want het was voorjaar. Maar er was één vogel die er niet aan meedeed.

Een merel.

Terwijl alle andere vogels – koolmeesjes, roodborstjes, mussen – opgewonden op en neer vlogen met takjes en blaadjes en pluisjes in hun snavel, zat hij in zijn eentje op een tak wat voor zich uit te koekeloeren, alsof hij niet goed wist hoe hij het moest doen.

'Dat komt omdat hij geen vrouwtje heeft,' zei Max na een tijdje.

'Het ís een vrouwtje, Max,' antwoordde Vera.

Max wilde iets terugzeggen, maar hield zijn mond. Vera wist altijd alles beter. Het maakte ook niks uit. De merel was toch alleen. 'Misschien moeten wij een nest voor hem bouwen,' opperde hij.

'Voor haar,' corrigeerde Vera.

'Voor háár,' herhaalde Max, 'dan komt er vast ook wel een mannetje.'

Vera knikte. Dat was een goed idee. Misschien was de merel nog jong en had ze nooit van haar vader en moeder geleerd hoe ze een nest moest bouwen. Of misschien had ze slechte ogen en kon ze niet zien hoe andere vogels het deden, en brillen voor vogels – die bestonden niet.

Max holde de tuin in en graaide allerlei spullen bij elkaar waarmee ze konden bouwen: takken, bladeren, stukjes touw en zacht gras voor op de bodem, want het moest natuurlijk wel warm en gezellig worden in het nest.

Vera haalde intussen de ladder uit het schuurtje en koos een boom uit. Dit was niet de boom waarin de merel zat, maar eentje ernaast. Een echte berk met veel takken en kruispunten waar het nest veilig in kon liggen. Vera klom naar boven. Max gaf de takken aan. De merel keek nieuwsgierig toe en ook de andere vogels fladderden langs om te kijken wat er gebeurde.

Het was niet moeilijk om een nest te maken, Max en Vera stonden er zelf van te kijken. In een mum van tijd was het klaar. Ze zetten de ladder weer terug in de schuur en gingen toen zitten wachten tot de merel kwam. Maar dat duurde lang.

'Waarom komt ze nou niet?' vroeg Max na een uurtje. Hij begon het koud te krijgen. Ook voor de merel was het beter om lekker in het nest te gaan zitten. Daar was het warm, en het lag uit de wind.

'Ik weet het niet,' antwoordde Vera. 'Misschien denkt ze dat het van ons is.'

'Van ons? Wij hebben toch geen nest nodig,' riep Max uit, 'of ga je een ei leggen?'

Hier moest Vera zo vreselijk om lachen dat zelfs de merel ervan schrok. Ze sloeg met haar vleugels en fladderde op van haar tak. Alle andere vogels hielden even op met kwetteren.

'Kijk,' fluisterde Max.

Vera hikte nog na van haar schaterlach en had tranen in haar ogen. Maar toch zag ze de merel een rondje vliegen en toen zingend landen op het nest dat zij en Max hadden gebouwd.

'Zo, die zit,' zei Max tevreden.

'Nu nog een mannetje,' zei Vera.

'Morgen misschien,' zei Max en hij rilde, want hij had het nog steeds koud.

De bal

Max en Vera waren aan het voetballen. Ze hadden een oude leren bal in het schuurtje gevonden.

Met iedere schop die ze er tegenaan gaven, liep hij een beetje leeg. Het was een dof en piepend geluid. Het leek ook wel alsof hij steeds langzamer ging rollen.

Toch schoot Max hem in de sloot.

'Gadver. Nou is-ie nat,' zei Vera. Ze holde naar de waterkant.

Max volgde op een afstandje.

De bal lag midden in de sloot. Hij zonk niet maar hij zag er wel vermoeid uit. Nu pas zagen ze hoe oud hij was. Nieuwe ballen hadden iets fris en vrolijks.

Vera pakte een stok en probeerde hem voorzichtig naar de kant te harken. Dat ging niet zo makkelijk. Ze viel bijna in het water.

'Als ik jou nou vasthoud,' zei Max dapper, 'dan kun je verder voorover hangen.'

Vera ging in de zachte, natte wallenkant staan en gaf Max een hand. Met een zuigend geluid verdwenen haar voeten in de blubber. Ze boog nog wat verder naar voren.

Max stond achter haar, op de harde rand van de sloot, ietsje hoger. Hij hield haar stevig vast. Met de stok porde ze tegen de bal. Maar in plaats van dat hij naar haar toekwam, dreef hij weg.

'Het lukt niet,' zei ze.

Max kneep hard in haar hand, want hij was bang dat ze in het water zou vallen. 'Ik laat je echt niet los,' zei hij.

Weer prikte Vera met de stok tegen de bal, die nu op een paar golfjes naar de overkant dreef. Bij een rietpluim bleef hij liggen.

'We moeten over de sloot springen,' zei Vera toen Max haar uit de modder had getrokken.

'Kan jij dat?' vroeg Max.

'Nee, maar jij wel,' zei Vera.

Max dacht na. Als Vera het niet kon, moest hij het wel doen. Maar hoe?

Misschien moest hij een lange aanloop nemen, zijn voeten of handen vooruitsteken en met een duik aan de andere kant van de sloot landen. Maar hij kon natuurlijk ook met een lange stok in zijn hand naar de waterkant rennen. Dan moest hij zich afzetten en de stok midden in de sloot planten. Met een zwiep van zijn benen kon hij dan naar de overkant zwieren.

Max besloot het zónder stok, maar mét een lange aanloop te doen.

Vera telde af.

Bij NUL begon Max te hollen. Het was een mooi gezicht. Het leek wel of hij nooit eerder zo vastbesloten ergens op af was gerend. Zijn hoofd bonsde ervan.

Precies op het randje waar het nog hard was, zette hij zich af. Hij voelde onder zijn schoen een kluit aarde wegschuiven en hoorde hem in het water plonzen. Maar toen was Max al in de lucht. Met fietsende benen vloog hij naar de overkant. Met een harde bons landde hij op een steen, maar hij viel niet.

'Ik ben er!' schreeuwde hij terwijl hij zich omdraaide.

'De bal ook!' riep Vera terug.

Max keek in de sloot. De bal was uit het riet gedreven en lag nu aan de kant van Vera.

'Ik pak hem wel,' zei ze, en ze viste hem op haar hurken uit het water.

Max begon ontzettend te lachen. Toen sprong hij pardoes de sloot in.

De wesp

'Zullen we een wesp vangen?' vroeg Max.

'Nee,' zei Vera. Ze was bang voor wespen.

Daarom moest je er juist één vangen, vond Max, en hem goed bekijken. Dan werd je vanzelf minder bang. En als de wesp in een jampot zat, kon hij ook niet steken. Ze moesten er eerst wel een zoeken. Als je er niet naar zocht, zoemden ze overal, maar als je er eentje nodig had, kon je ze niet vinden.

Bij een grote struik met gele bloemen stond Max stil. De bloemen stonken. Max ging op zijn tenen staan en zei: 'Pssttt. Kijk, een wesp.'

Een dikke was het.

Vera gaf Max gauw de pot. De wesp trilde en zijn vleugels waren doorzichtig. Vera griezelde ervan.

Max had de jampot in zijn ene hand en het deksel in de andere. Als hij het potje onder de bloem hield, kon hij de wesp er met het deksel zo inschuiven. Dat deed hij, heel voorzichtig. Hij hield zijn adem in, want als de wesp maar een zuchtje wind zou voelen, vloog hij natuurlijk weg.

'Hebbes!' riep hij, en hij draaide snel het deksel op de pot.

'Mag ik hem vasthouden?' vroeg Vera.

Max schudde van nee en staarde naar de wesp. Hij was veel enger dan hij had gedacht. En iedere keer als hij tegen het glas vloog, klonk er een boze tik. Hij gaf de pot aan Vera. De wesp was nu zo in paniek dat Vera het door het glas heen kon voelen. Hij zoemde en bromde. Haar handen gingen ervan tintelen, maar ze was niet meer bang.

'Hij is heel boos,' zei ze.

'Hij kan er toch niet uit, hè?' vroeg Max. 'Laat hem nog eens zien?'

De wesp was op de bodem gaan zitten. Hij hijgde.

'Hij wordt moe,' zei Max.

Maar Vera wist ineens zeker dat hij vrij wilde zijn. Wie wilde er nou in een jampot zitten?

'Straks stikt hij nog,' zei ze. 'Hij wil eruit.'

Max pakte de pot van haar af en rammelde hem heen en weer.

'Wat doe je nou?' riep ze kwaad. 'Zo wordt-ie misselijk!'

Max hield er meteen mee op.

'We laten hem vrij,' zei Vera. Ze wilde de jampot pakken, maar Max hield hem stevig vast.

De wesp vloog alweer rondjes en af en toe knalde hij tegen het glas. Het was best een zielig geluid.

Toen draaide Max voorzichtig het deksel van de pot. Hij

wist dat boze wespen konden steken. Maar misschien was deze wel zo geschrokken dat hij niet meer boos was.

'Oké,' zei hij tegen Vera. 'Daar gaat-ie!'

Razendsnel vloog de wesp weg. Hij leek wel een vuurpijl, zo recht verdween hij in de blauwe lucht. Te klein om na te kijken. Te ver weg om nog te kunnen prikken.

Snot

'Wat stop je daar in je mond?' vroeg Max aan Vera toen hij haar hand stiekem en snel naar haar lippen zag gaan. Ze zaten aan de keukentafel en buiten regende het een beetje, niet veel, maar toch – motregen.

Vera bloosde. 'Niks,' zei ze vlug.

Max keek haar eens goed aan. Er hing iets aan haar neus, iets heel kleins, een pluisje of een kruimel. 'Ik zag het toch echt, hoor,' zei hij langzaam, 'je deed iets in je mond.'

Vera haalde haar schouders op. Ze had zin om haar tong uit te steken. Max moest zich niet overal mee bemoeien. Ze haalde haar neus op. En ze slikte snel iets door.

Nu werd Max natuurlijk nog nieuwsgieriger. Er was iets aan de hand met Vera. Normaal zou ze lachen of zeggen dat hij op moest hoepelen of ze zou ruzie maken. Nu had ze rode wangen en trok ze nuffig haar neus op. 'Je eet een snotje!' riep hij toen uit.

'Nou en,' zei Vera vinnig, 'mag dat niet?'

'Het is niet netjes,' zei Max.

'Waarom niet?' vroeg Vera fel. 'Het is toch mijn eigen

snot? Het komt uit mijn neus, hoor. Niet uit de jouwe!'

'Nou moe,' zei Max.

'Jij smeert het onder de tafel,' riep Vera uit. 'Dat wist je niet hè, dat ik dat wist? Wil je het zien?'

Max kreeg een heel warm hoofd. Er jeukte iets in zijn oksel. Als hij in zijn neus peuterde, plakte hij inderdaad de snotjes onder de tafel. Maar hij wist niet dat Vera dat had gezien. En hij had ook nog nooit onder de tafel gekeken.

'Kom maar eens kijken,' joelde Vera nu. Ze was opgestaan en zat al op haar knieën. 'Jee Max, wat een viespeuk ben jij, kijk nou!' Ze kroop onder de tafel.

Max ging achter haar aan.

'Daar!' wees Vera.

Max keek langzaam omhoog. Ondersteboven hing aan het tafelblad een hele heuvel van kleine bolletjes. Grappig toch wel, vond Max, een berg die op de kop hing.

'Dát vind ik nou vies,' zei Vera streng, 'zie je wat ik bedoel?'

Max zag het. Misschien kon je de oude, droge snotheuvels met een mes makkelijk van het tafelblad losmaken en in de prullenbak gooien. En dan was er helemaal niets vies aan. Hij voelde voorzichtig, de snot was helemaal droog en hard. Hij kneep in een van de bergjes en het krakte zomaar los.

'Kijk,' zei Max triomfantelijk, en hij liet Vera de droge

brok zien, 'nu kun je het makkelijk weggooien. Netjes, hè?'

'Getver!' gilde Vera. Ze had nog nooit zoiets smerigs mee-
gemaakt. Ze wilde meteen weg. Maar ze vergat dat ze onder
de keukentafel zat. En met een harde knal stootte ze haar
hoofd. Gelukkig was ze niet ver van de tafelrand. De oude
snotjes van Max werkten dus als een bumper. Het deed toch
nog behoorlijk pijn, maar haar hoofd bloedde niet. Wel had
ze nu snot in haar haar. Max moest er smakelijk om lachen.

De mol

De hele tuin van Max en Vera lag vol bergjes aarde. Ze waren allemaal even hoog. Het leek wel alsof het grasveld puisten had gekregen. Zoiets hadden Max en Vera nog nooit gezien.

'We hebben een mol,' zei Vera toen ze er voor het raam van haar slaapkamer een tijdje met open mond naar had staan kijken.

'We hebben wel honderd heuvels,' riep Max, die naast haar stond en ze geteld had.

'Gossie,' zei Vera stilletjes. Ze dacht aan de mol die in lange tunnels woont. Ze zou hem best wel eens willen zien.

Ze gingen de tuin in. Het was mooi weer en er lag dauw op het gras. Ze liepen voorzichtig tussen de molshopen door. Soms dansten ze eromheen. De kunst was dan om er niet eentje te raken.

'Weet je wat ik wil,' zei Vera. 'Ik wil die mol wel eens zien.'

'Hoe kan dat nou? Hij woont onder de grond,' zei Max.

'We kunnen toch proberen om in zo'n tunnel te kijken.' Vera zei het heel voorzichtig, want als Max er geen zin in had, deed hij het ook niet. Zo was hij nu eenmaal.

Maar Max holde meteen naar de schuur en kwam terug met een schepje, waarmee hij bij de eerste de beste molshoop neerviel.

'Niet die!' riep Vera toen Max op het punt stond in het heuveltje te gaan spitten. 'Die heuvel beweegt!'

Hij keek verbaasd op. Het was waar. De molshoop bewoog.

Max liet zich op het gras ploffen. Maar toen Vera naast hem kwam zitten, hield de heuvel op met bewegen. Een klein klontje modder rolde langzaam van de top af. Max rilde ervan. Had hij bijna zijn schepje in een levende molshoop gezet. De mol had wel dood kunnen zijn!

Vera hielp hem overeind. Twee molshopen verderop gingen ze weer zitten en voorzichtig groeven ze de heuvel af.

Omdat de aarde een beetje nat was, stortte de tunnel niet in en was het makkelijk om hem bloot te leggen. Ze keken er recht in en zagen dat hij een bocht maakte.

'Een spiegel,' zei Vera, 'we moeten een spiegel hebben en een zaklamp.'

Max had haar nog nooit zo druk in de weer gezien en hij sprong op. Hij holde het huis in en vond wat ze nodig hadden. Gauw rende hij weer terug. Hij gaf Vera de spiegel – het was een mooie oude met een zilveren rand en een handvat – en de zaklantaarn.

Vera stak de spiegel schuin de tunnel in. Ze kon zichzelf

zien en de bocht van de gang. Toen knipte ze de zaklantaarn aan en scheen op de spiegel. Ze wiebelde er net zolang mee tot de straal licht de bocht om ging. Ineens kon ze zo een stuk verder kijken. Max keek over haar schouder mee. Ze hielden hun adem in.

'Kijk,' fluisterde Vera.

Precies in het midden van de spiegel zag Max een klein, spits donker kopje met wat slome kraalogen. 'De mol,' zei hij zacht. 'Ik ben blij dat hij nog leeft.'

'Dag mol,' zei Vera. Ze scheen met de spiegel recht in zijn ogen. De mol knipperde er langzaam mee, alsof het heel lang duurde voor het licht bij hem binnenkwam. Maar toen gaf hij Max en Vera een hele kleine knipoog. Daar leek het tenminste op.

Ziek

Max en Vera hadden een probleem. Ze waren ziek. Daarom lagen ze in bed. En omdat ze allebei ziek waren, lagen ze samen in één bed. Dat was wel zo makkelijk.

Ze lagen tegenover elkaar. Max lag met zijn zieke kop aan het hoofd van het bed, en Vera lag met haar hoofd aan het einde. Haar voeten kwamen tot voorbij de buik van Max en de voeten van Max kwamen ongeveer tot de navel van Vera.

'Haal je voeten weg, Max,' piepte Vera, 'ze kriebelen.'

'Haal je eigen voeten weg,' zei Max boos, 'je schopt steeds in mijn buik.'

'Niet waar,' riep Vera.

'Dan haal ik de mijne ook niet weg,' zei Max, en hij kietelde met zijn grote teen in Vera's navel.

Ze trok haar benen terug. Max deed hetzelfde. Even later zaten ze rechtop. Ze zwaaiden naar elkaar, en trokken gekke bekken. Ze waren te ziek om iets anders te doen, of om een praatje te maken. Ze waren misselijk en ze hadden koorts. Ze waren allebei knalrood.

'Max...' probeerde Vera. Het was doodstil in huis en zelfs

buiten, achter de gordijnen, leek niets te gebeuren. 'Max, ken jij een mop?'

Max dacht na. Het deed pijn aan zijn hoofd. Lachen was gezond, had hij wel eens gehoord. Maar nu hij een mop nodig had, kon hij er in zijn hoofd nergens eentje vinden.

'Er was eens een neger,' begon hij toen ineens. Het was eruit voor hij er erg in had. Hij kende helemaal geen mop over een neger. 'En die neger,' hoorde hij zichzelf verder vertellen, 'die dacht dat hij geen neger was...'

'Geen neger?' vroeg Vera verbaasd.

'Maar hij was dus wel een neger en op een dag kwam hij een andere neger tegen en die vroeg: Wat is er met jou?'

Vera keek Max eens goed aan.

'Niks, zei de neger, waarom? Nou, je ziet zo bleek, zei die andere toen.' Max probeerde te lachen, maar dat deed pijn aan zijn ribben. Hij plofte achterover. Hij voelde Vera's tenen tegen zijn buik krabbelen. Wat was hij moe. En zijn mop was ook al niet leuk.

Vera kon er inderdaad niet om lachen. Ze voelde zich iets beter dan Max, dat wel. Ze keek naar Max, die er zo op zijn witte kussen veel roder uitzag dan daarnet. Zijn haar was nat. Ze dacht aan de twee negers die elkaar waren tegengekomen. Kon een neger ook bleek worden? Wat een gekke vraag was dat.

28

Als ze niet ziek waren, zouden ze gewoon op straat een neger gaan zoeken. Je kon toch gewoon vragen of hij wel eens bleek werd? Vera zuchtte. Ze dacht dat ze buiten een paard hoorde hinniken en daarna hoorde ze regendruppels op het schuurtje onder hun raam vallen. Ze dacht aan haar fiets die lekker droog stond. Ze voelde Max zijn voeten tegen haar benen. Ze had het ontzettend warm.

Max bibberde. Hij had het koud en warm tegelijk. Het rare was dat hij de hele tijd aan die twee negers van die stomme mop moest denken. De ene was helemaal spierwit geworden. Max wist ineens weer dat hij de mop een keer op televisie had gehoord, alleen ging hij toen anders. Hij voelde dat er een straaltje spuug uit zijn mond liep. Naast zijn hoofd kwam een natte plek op het kussen.

Was hij maar beter.

Schoenen

Op straat lag een paar schoenen. Het waren bruine, keurige herenschoenen. Maar het rare was dat nergens een heer te zien was en ook geen man of een zwerver. De schoenen waren in hun eentje. Ze stonden netjes naast elkaar op de stoep onder een lantaarnpaal. De linker had een gestrikte veter en bij de rechter hing de veter los. Er was een behoorlijk eind mee gelopen, dat kon je zo zien. Toch waren ze goed gepoetst. De neuzen glinsterden in de zon.

'Wat doen die nou hier,' mompelde Max.

'Iemand heeft ze laten staan,' zei Vera praktisch. Ze zakte bij de schoenen neer om ze beter te bekijken.

'Waarom?' vroeg Max. Hij vond het maar vreemd. Wie liet er nou zijn schoenen op straat achter? En hoe moest je dan verder. Op je sokken?

'Dat weet ik niet,' zei Vera. Ze pakte er eentje en rook eraan. Haar neus verdween er bijna helemaal in. 'Bah, hij stinkt.'

'Schoenen stinken altijd,' zei Max. Zijn gympen stonken ook.

'Nee hoor,' zei Vera, terwijl ze de onderkant streelde, 'al-

leen mannenschoenen stinken. En jongensschoenen. Kijk.'
Ze hield de schoen omhoog. 'Er zit een gat in de zool, een
enorm gat.'

'Vera,' zei Max langzaam, 'jouw gympen stinken ook...'

Waarom was ze het nou nooit eens met hem eens?

'Heb jij wel eens zo'n groot gat in je schoenen gehad?' ging Vera verder.

Max schudde zijn hoofd. 'Mijn voeten zijn te klein voor zo'n groot gat,' bromde hij.

Vera knikte. 'Van wie zouden die schoenen zijn?' vroeg ze. Ze voelde iets kriebelen in haar buik. Alsof ze precies de verkeerde vraag had gesteld en het beter was geweest de bruine schoenen gewoon met rust te laten. Ze keek Max bezorgd aan. Misschien voelde hij hetzelfde.

'Weet ik niet,' antwoordde hij.

'Ik ook niet,' zei Vera toen snel en opgelucht. Ze zette de schoenen weer netjes naast elkaar en kwam overeind. Ze hoopte dat Max er nu niets meer over zou zeggen. Ze vond de schoenen ineens eng en heel vreemd. Alsof er een enorme man uit omhoog zou kunnen groeien; keurig vanbuiten, maar griezelig vanbinnen.

'Zullen we kijken hoe het met de poedels van de burgemeester is?' vroeg Max nonchalant.

'Oké.' Vera had er eigenlijk geen zin in, maar ze was allang blij dat ze weg kon. Twee, bruine, grote mannenschoenen die zomaar netjes op de stoep stonden, daar kon niks goeds uit komen.

'Hup, kom op,' riep Max. En daar gingen ze. Een nieuw avontuur tegemoet.

Ozonlaag

Max en Vera keken naar de lucht. Het was avond. De lucht was zwart. Hier en daar pinkelden kleine, witte lichtjes. Dat waren sterren. Hoe langer ze ernaar keken, hoe meer ze er zagen. Na een tijd waren het er vreselijk veel.

'Het lijken wel wolken,' zuchtte Max. Hij kreeg een stijve nek van het omhoogkijken.

'Wolken?' vroeg Vera verbaasd.

'Al die sterren bij elkaar,' zei Max, 'het zijn er zoveel. Kijk!'

Hij wees omhoog.

Vera kwam naast hem staan. Ze keek langs zijn arm naar de sterrenhemel. Ze wilde precies zien wat hij bedoelde, maar hoe ze ook keek – ze snapte hem niet. Ze zag alleen maar steeds méér sterren. 'Wat bedoel je, Max?' vroeg ze voorzichtig.

'Al die sterren zo dicht bij elkaar. Dat is toch net een wolk?' riep Max uit.

Vera knikte. Nu zag ze wat Max bedoelde. Duizenden kleine, glinsterende punten bij elkaar, het leek wel een lichte vlek in de donkere lucht. Als je je ogen tot spleetjes kneep en door je oogharen gluurde, zag je dat de vlek een sliert vormde naar plekken waar heel veel sterren bij elkaar stonden. De slierten leken wel engelenhaar in een kerstboom.

'Weet je hoe dat heet?' vroeg Max.

Vera hoorde aan zijn stem dat hij het wist. Ze dacht keihard na. Als Max het wist, moest zij het ook weten. Dat kon toch eigenlijk niet anders.

'De melkweg,' flapte Max er toen uit.

Shit, dacht Vera, dat wist ik ook. 'De melkweg?' herhaalde ze heel langzaam om Max te plagen.

'Ja, de melkweg. Dat wist je niet, hè?' Max klonk apetrots.

'Dat wist ik wel,' zei Vera vinnig.

'Waarom zei je het dan niet?' vroeg Max.

Daar had Vera geen antwoord op. Een beetje boos keek ze weer naar de lucht. Het duurde niet lang of de boosheid verdween. Wat was de hemel groot, er kwam geen einde aan. Vera werd er dromerig van. In de verte rommelde een trein voorbij. Vera had het koud. Haar adem stroomde in wolkjes uit haar neus. Ze stootte Max aan.

'Wat is er?' vroeg hij.

'Kijk, de maan,' zei Vera.

De maan was nog niet te zien geweest omdat hij achter de schoorsteen van hun huis zat, maar nu piepte hij te voorschijn. Het was een sikkel met scherpe punten. 'Kijk hoe snel hij gaat…' mompelde Max. Het leek wel of de maan haast had en ergens heen moest.

'Wat is dát?' vroeg Vera. Ze lette niet meer op de maan. Van de andere kant kwam een grijze deken aangedreven. Tussen de sterren flikkerde een groen lichtje.

'Dat is een vliegtuig,' zei Max. Hij zei het alsof hij het zelf bestuurde.

Maar daar ging het Vera niet om. De donzige deken schoof tussen de aarde en de sterren.

Het werd donkerder en donkerder. Er was steeds minder van de melkweg te zien.

'De ozonlaag,' fluisterde Max opgewonden, 'dat is de ozonlaag.'

Vera keek opzij. Ze kon Max niet goed zien. Het was er te donker voor. Wat zei hij nu? Wat was er met hem? 'De ozonlaag?' vroeg ze. De ozonlaag... 'Weet je het zeker Max?'.

Max aarzelde. Hij keek nog eens goed naar de lucht. Hé, wat was dat? Hij schrok. Er viel een regendruppel op zijn neus, en nog eentje. De ozonlaag huilde. Nee, het waren natuurlijk wolken. Nachtwolken. Max sloeg een arm om Vera heen, hij was helemaal in de war. Ze gaf hem speels een por in zijn zij. Daarna holden ze snel naar huis.

Belletje trekken

Max en Vera hadden een plan. Dat was altijd leuk en helemaal als het een stout plan was, zoals dit. Ze gingen belletje trekken bij de burgemeester en zijn vrouw, die zeven poedels had.

'Waarom eigenlijk bij de burgemeester?' vroeg Max.

'Dat is spannend. Bij wie moeten we anders belletje trekken?' Vera zei het stoer.

Max wist nog wel een paar andere mensen, maar hij moest toegeven dat belletje trekken bij de burgemeester spannender was dan bij oma Soep die aan het einde van de straat woonde en hartstikke doof was.

Toch was het wel gevaarlijk, volgens hem. Al was het maar vanwege die poedels.

Maar hij wilde geen spelbreker zijn, en dus gingen ze op pad.

De burgemeester woonde niet ver bij Max en Vera vandaan, in een groot huis met een hoge deur en een brede, stenen trap. Voor de ramen hingen dikke gordijnen. Er lag een grote tuin om het huis en er was een heg. Het was een onvriendelijk huis. Max en Vera werden er een beetje bang van toen ze er een tijdje naar keken. Het was trouwens ook dreigend weer, met dikke, zwarte wolken die heel snel langs de lucht gleden.

'Doe jij het?' vroeg Max voorzichtig aan Vera.

'Durf je niet soms?' vroeg Vera meteen.

Max aarzelde. 'Jij wel?'

'Samen,' antwoordde Vera en ze pakte Max bij zijn hand.

Ze slopen door het natte gras naar de trap bij de voordeur. Uit het huis kwam geen enkel geluid. Ze hoorden alleen zichzelf hijgen. Voorzichtig liepen ze naar de grote statige deur.

'Waar is de bel?' fluisterde Vera.

'Daar.' Max knikte naar een grote knop waar hij zelfs niet bij kon als hij op zijn tenen ging staan.

'Je moet me optillen,' fluisterde Vera, terwijl ze om zich heen keek. Nergens gebeurde iets. Alleen een merel zat in een boom te fluiten. Vera ging op haar tenen staan en Max zakte achter haar door zijn knieën. Hij sloeg zijn armen om haar benen en tilde haar omhoog. Zo kon ze net bij de bel. Met haar hele hand drukte ze keihard op de knop.

Dingdong!

Dingdong!

Dingdong!

Max liet Vera weer zakken. Het dingdongen werd langzaam zachter. In het huis keften zeven poedels. De barse stem van de burgemeester riep dat ze hun kop moesten houden. De burgemeestersvrouw schreeuwde erdoorheen.

Max en Vera holden weg. Het was nog een heel eind naar de heg bij de straat. Ze gingen niet over het gras, maar over het grindpad. Dat maakte ontzettende herrie. Net op tijd doken ze achter de heg. Meteen was het doodstil.

De deur van het huis ging knerpend open. Daar stond de burgemeester. Hij had een enorme snor en een servet om. In zijn hand hield hij een lepel. Achter hem klonk het geblaf van zeven poedels.

'Niemand,' bromde de burgemeester toen hij naar links en naar rechts had gekeken. 'Merkwaardig.'

Max en Vera proestten het uit.

'Deur dicht, deur dicht!' riep de burgemeestersvrouw ergens in de donkere gang van het huis. 'Anders gaan de poedels ervandoor!' Met een boze klap sloeg de burgemeester de deur dicht.

'Nog een keer?' vroeg Max aan Vera toen ze uitgelachen waren.

'Nog een keer,' zei Vera meteen.

De droom

Het was nacht. Op zolder kraakte iets. Buiten waaide het. De volle maan scheen door een kier in de gordijnen. Max zijn bed stond bij de deur en het lichtknopje, dat van Vera stond naast het raam.

'Ben je wakker?' vroeg Vera zachtjes aan Max.

'Ja, jij ook?' fluisterde Max.

Vera knikte, maar dat kon Max natuurlijk niet zien in het donker.

'Ik droomde,' ging Max verder.

'Ik ook,' zei Vera.

'Wat droomde jij?' vroeg Max.

'Dat weet ik niet meer,' antwoordde Vera met een zucht. 'En jij, wat droomde jij?'

'Iets raars,' begon Max langzaam. Hij zat rechtop in bed. 'Er was een grote hond en...'

'Was het een poedel?' vroeg Vera meteen. Ze dacht aan de poedels van de vrouw van de burgemeester.

'Nee,' zei Max, 'een poedel is toch niet groot?'

'Dat weet ik, maar in je droom kan hij wel heel groot zijn,' wierp Vera tegen. Ze ging nu ook rechtop zitten. Het licht van de maan streek precies langs haar gezicht.

'Dat is waar,' mompelde Max, 'in een droom kunnen ze supergroot zijn.' Hij huiverde en keek naar Vera. Ze zag er in het maanlicht wit en spookachtig uit.

'En muggen en kakkerlakken ook,' ging ze verder. 'Ik heb wel eens gedroomd dat die groter waren dan ik.' Ze giechelde zenuwachtig en spreidde haar armen om te laten zien hoe groot ze konden worden.

Max was er helemaal stil van. Hij dacht weer aan zijn eigen droom. 'Het was een grote hond, geen poedel en hij had een hele lange tong die uit zijn bek hing,' vertelde hij.

'Brrr,' deed Vera. Ze hield niet van grote honden, niet in het echt en niet in een droom. Een poedel ging nog wel, maar een hond met een lange tong had meestal ook scherpe tanden. Daar moest ze helemaal niets van hebben.

'Hij heette Fred,' riep Max ineens.

'Fred?' Vera trok de gordijnen open. Het licht van de maan stroomde nu de slaapkamer binnen. 'Een hond heet toch geen Fred!'

'Echt waar!' riep Max opgewonden. 'En hij kon praten.'

'Goh,' murmelde Vera, 'wat zei hij dan?'

Max dacht na en zei niets. Als hij maar genoeg stilte liet vallen, zou de droom vanzelf terugkomen. Maar dat gebeurde niet. 'Ik weet het niet,' antwoordde hij dus.

'Stomme Fred,' zei Vera, en ze moest lachen.

'Stomme droom,' zei Max, en hij schudde de herinnering van zich af. 'Doe nou de gordijnen maar weer dicht. Ik wil slapen.'

'Kom jij dan bij mij liggen?' vroeg Vera.

'Goed,' zei Max, en hij kroop bij haar in bed. Even later lagen ze allebei lekker te knorren.

Stiekem

Max en Vera wilden iets stiekems doen, maar wat was dat eigenlijk?

'Stiekem,' zei Max, 'stiekem is dat je iets doet wat niet mag. En niemand ontdekt het.'

'Dat bedoel ik,' zei Vera – zij had het Max al een keertje geprobeerd uit te leggen, maar nu leek hij het pas te begrijpen. Dat had hij wel vaker. Max snapte pas dingen als hij ze zelf zei. Gek was dat. 'Ik wil stiekem een boek lezen,' zei Max.

Vera schoot in de lach. Een boek lezen was toch niet iets stiekems? 'Het moet wel spannend zijn, Max,' zei ze dus.

'Het boek?' vroeg Max.

Dééd hij nou dom was of wás hij dom?

'Het stiekem doen!' riep Vera. 'Als je iets stiekem doet, moet het iets bijzonders zijn. Iets wat eigenlijk niet mag.'

Max haalde zijn schouders op. Wat moest hij dan doen? Hun voorraad chocolade opeten? Of in het geheim de knuffels van Vera verstoppen? Zou dat stiekem genoeg zijn? Het waren wel goeie ideeën trouwens, en stiekeme ook. Max begon er helemaal van te gloeien.

'Wat is er?' vroeg Vera. 'Je kijkt heel stiekem, Max! Heb je wat bedacht?'

Max zweeg. Dat hoorde erbij. Je deed iets stiekem of je deed iets niet. Dat ging hij Vera niet vertellen. Dan was het niet stiekem meer.

'Ooh ooh,' kraaide Vera nu opgewonden, 'Max heeft iets stiekems in zijn hoofd! Wat zal het zijn, wat zal het zijn?'

Dat wilde Max zelf ook graag weten. In stiekem een reep chocolade eten had hij het meeste zin. Ze hoefden niet eens allemaal op, de repen. Eentje was al stiekem genoeg... 'Ik moet naar de wc,' zei hij plotseling.

'Naar de wc?' Vera ontplofte zowat van nieuwsgierigheid. Ze wist zeker dat Max helemaal niet naar de wc hoefde. Hij ging iets stiekems doen.

'Poepen,' zei Max sullig.

'Je hebt al gepoept!' riep Vera uit.

Max dacht na. 'Nietes,' antwoordde hij. 'Ik moet echt poepen.' Hij keek een beetje benauwd. Misschien móest hij ook wel poepen.

Daarom geloofde Vera hem maar. Bovendien had ze zelf ook een stiekem plan.

Max liep naar de wc in de gang, maar vlak voor hij de deur opendeed, keek hij over zijn schouder. Hij had verwacht dat Vera achter hem aan was gekomen, maar ze was nergens te zien. Hij glipte snel de keuken in, klom op het aanrecht en tilde de grote trommel met de chocoladevoorraad van de plank. Het deksel zat los, dat was boffen. Max wipte het eraf en greep zonder te kijken een reep die hij meteen in zijn broekzak liet verdwijnen. Hij sprong snel weer van het aanrecht en haastte zich naar de wc. Even later zat hij op de koude bril. Zo stil mogelijk at hij zijn reep op. Er zaten nootjes in

die kraakten en tussen zijn tanden bleven zitten. Toen hoorde hij iets op de gang.

'Ik hoor je heus wel!' riep hij met volle mond. 'Stiekemerd! Je gaat een reep pikken!'

'Niet waar!' riep Vera, maar je kon horen dat ze iets in haar mond had. 'Ik moet ook poepen! Schiet op, Max!'

Max aarzelde.

'Kom op, Max, ik moet echt heel nodig, hoor.'

'Ik ook,' riep Max, want ineens moest hij ook.

Durf

Het regende heel hard. En een herrie dat het maakte, een kei-hard geroffel. Max en Vera zaten voor het raam. In lange stralen kwam de regen uit de wolken. Alsof er miljoenen kranen openstonden. In de tuin bleef geen bloem overeind. De kelken van de magnolia's stroomden vol water. De bloemen vielen blaadje voor blaadje uit elkaar.

'Durf jij erdoor?' vroeg Max.

'Jij?' vroeg Vera meteen terug.

Max dacht na. Die regenstralen konden best eens pijn doen op zijn hoofd. Maar dat wilde hij niet zeggen. Wat hij wél wilde zeggen, wist hij niet.

'Nou, kom op, Max. Durf je of durf je niet? Je durft niet, hè?'

Dat kwam er nou van als hij Vera vroeg of zij iets durfde, dan vroeg ze meteen of hij het zelf wel durfde. Hij had het nooit moeten vragen. Stom, stom, stom.

'Tuurlijk wel, en jij? Jij durft niet, hè?' antwoordde Max maar.

'Ik vroeg het jou eerst, hoor,' riep Vera boven het roffelen van de regen uit.

'Nietes,' riep Max, 'ik was eerst.'

'Ik durf het,' mompelde Vera. Ze beet op het puntje van haar tong. Het liefst zou ze willen vragen of Max het dan ook durfde.

'Ik ook,' zei Max, en hij zei maar niet dat hij het doodeng vond. Ze liepen naar de keukendeur.

'Je moet wel in je blootje,' vervolgde Max, 'anders worden je kleren nat.'

'Durf jij dat?' vroeg Vera meteen.

'Tuurlijk,' zei Max stoer.

'Toe dan. Toe dan!' gilde Vera en ze begon meteen aan zijn kleren te trekken.

Even later stond Max bloot op de keukenmat. Het was niet zo koud als hij had gedacht. Het was zelfs een beetje warm. Vera deed de keukendeur open. Het enorme kabaal van de regen stroomde het huis binnen.

Max haalde diep adem.

'Drie, twee, één…' telde Vera. Ze moest brullen om boven de herrie uit te komen.

Max kneep zijn neus dicht.

'Start,' schreeuwde Vera. Ze gaf Max een stevige duw in zijn rug.

Hij struikelde de regen in en deed een paar onhandige passen. Hij wist niet waar hij naartoe moest, want daar had-

den ze het eigenlijk nog niet over gehad. Geschrokken keek hij om zich heen. Naar het schuurtje dat aan het einde van de tuin lag, kon hij niet. Het had in brand gestaan en het dak lekte als een zeef. Onder een boom gaan staan had ook geen zin, want de regen viel dwars door de bladeren heen.

Vera zag hoe Max aarzelde. De regenstralen waren zo dik dat hij een schim leek. 'Max, Max! Kom terug!' brulde ze.

In de verte hoorde Max een geluid. Het leek zijn naam wel. Hij draaide zich om en verderop, achter het watergordijn, zag hij Vera staan. Ze wenkte hem. Waarom was *zij* niet in haar blootje? Hij holde naar haar toe. Voor zijn gevoel ging het zo langzaam dat het wel zwemmen leek. Toen hij eindelijk binnen was, kon hij alleen nog maar zeggen: 'Zie je nou wel dat ik durfde.'

Vera gaf hem een dikke zoen en een handdoek.

De mug

Max en Vera lagen in bed, maar ze konden niet slapen. Dat was vervelend, want ze waren ontzettend moe. Er was een mug in de slaapkamer. Iedere keer als Max het licht uitdeed, kwam hij te voorschijn. Hij had Vera al twee keer geprikt. Hij maakte een verschrikkelijk geluid. Het leek wel een snorrend vliegtuigje dat je alleen in het donker kon horen. En als ze dachten dat hij niet meer zou komen, kwam hij toch en zat Vera rechtop in bed om zich heen te slaan. Max probeerde op een andere manier aan de mug te ontkomen. Hij lag doodstil op zijn zij, met de deken over zijn hoofd. Maar zelfs dan hoorde hij de mug rond zijn hoofd zoemen en ronken. En toen werd hij ook nog in zijn voet gestoken.

'Au!' riep hij. 'Rotmug!' Hij sprong uit bed en deed het licht aan. Hij keek om zich heen. Nergens een mug te zien.

Vera was overeind geschoten. Ze had een opgerolde *Donald Duck* in haar hand. 'We gaan hem doodslaan,' bromde ze kwaad.

Max krabde aan zijn enkel. Het werd een bult. Hij kreeg ineens ook jeuk op zijn rug, tussen zijn schouders. Daar kon hij niet bij, dus moest Vera krabben.

'Niet zo hard,' riep hij na een tijdje.

Vera hield op. Van al het krabben kreeg ze zélf jeuk aan haar muggenbeten. De vervelendste zat op haar wang. Daar had ze wat spuug opgedaan, maar dat hielp niet.

'Ik zie 'm,' fluisterde Max. Hij wees naar een hoek van de slaapkamer. Vera zag hem ook. De mug zat hoog in de hoek, bijna tegen het plafond aan. Ze liep er voorzichtig naartoe. Ze draaide zich om naar Max. 'Een stoel,' fluisterde ze.

Max bracht een stoel naar Vera, ze klom erop met haar opgerolde *Donald Duck*. De mug had niets in de gaten. Max hield zijn adem in. Vera mikte en sloeg toen zo hard ze kon.

Mis!

Nog voor de *Donald Duck* tegen de muur knalde, zagen ze de mug opvliegen. Het was ongelooflijk. Had een mug soms ogen in zijn rug? Of was hij geboren om te plagen?

'Waar gaat hij heen?' riep Vera.

Max zag hem aan de andere kant van de kamer, boven het hoofdeinde van Vera's bed, naast haar oude Jip en Jannekelamp neerstrijken. Hij had iets slooms, alsof-ie moe was, of heel erg tevreden met zichzelf.

'Kom,' fluisterde Max. Hij pakte een dik boek van Paul Biegel en sloop in de richting van de mug. Vera volgde hem. Zij had haar *Donald Duck*, die behoorlijk aan flarden was, ver-

ruild voor een *Asterix*. Ze rold er een echte knuppel van.

De mug had niets in de gaten. Misschien deed hij even een tukje. Max en Vera konden tot vlak bij hem komen. Toen keken ze elkaar aan. Wat te doen? Zou Vera meppen of moest Max het zware boek tegen de mug drukken?

Max mocht het doen.

Hij deed een stapje vooruit, hield zijn adem in en duwde toen heel rustig het dikke boek in de richting van de mug. Het scheelde maar weinig of Max kreeg medelijden met de mug, toch zette hij door. Heel zachtjes hoorden ze iets kraken.

Dat was de mug.

Die nu dood was.

Max trok het boek weer naar zich toe. Op de muur zat een grote, rode vlek met een zwart stipje in het midden. De vleugeltjes van de mug kleefden aan het boek. Het was ongelooflijk, zo veel bloed als er in een mug zat, en toen Max en Vera later in bed lagen vroegen ze zich af van wie dat bloed nou was: van hen of van de mug.

De bloem

De zon scheen en de lucht was blauw. In de verte waren wolken, maar ook als je er lang naar keek bewogen ze niet. Ze hingen daar maar. Het weiland aan de overkant zag geel van de paardebloemen. Zo veel paardebloemen hadden Max en Vera nog nooit bij elkaar gezien. Het gras zelf was onzichtbaar.

Ze wilden de paardebloemen gaan tellen. Er stonden er vast wel een miljoen, en het idee dat het er zoveel waren was bijna te opwindend voor woorden. Maar na een halfuur zagen ze in dat het zinloos was. Ze hadden al meer dan tweehonderd bloemen geteld, en dat op een stukje grond dat nog niet groter was dan een handdoek. Terwijl het weiland zelf twee keer zo groot was als een voetbalveld. Vermoeid zaten ze nu naast elkaar. Ze kriebelden trouwens behoorlijk, die paardebloemen.

'Wat is dit eigenlijk?' vroeg Vera. Ze had een gele bloem in haar hand, géén paardebloem. Het was een veel kleiner bloemetje, op een lange, dunne steel.

'Een boterbloem, denk ik,' antwoordde Max. Hij boog

zich naar Vera en bekeek de bloem.

Vera rook eraan. 'Hij ruikt niet naar boter,' zei ze.

Max lachte. 'Waar ruikt-ie dan naar?'

Vera dacht na. Ze hield de bloem heel dicht onder haar neus. Ze rook duidelijk iets, maar erg lekker was het niet. Het stonk zelfs. 'Iets vies,' antwoordde ze.

'Ooh, dan is het een stinkende gouwe,' zei Max ineens, en terwijl hij het zei, wíst hij dat het nog waar was ook. De stinkende gouwe was een bloem die heel erg op een boterbloem leek. Alleen had hij vier gele blaadjes in plaats van vijf en heel andere bladeren langs de steel.

Vera keek Max aan.

Ze zag hem iedere dag, maar toch wist hij steeds weer iets nieuws. Nu dit weer, een stinkende gouwe. Waar haalde hij het vandaan?

Max begon te blozen.

'Hoe weet jij dat, Max?' vroeg Vera toen heel langzaam.

'Weet ik niet,' zei Max snel. Hij strekte zich uit in de paardebloemenwei en keek naar de lucht. Er kwam geen vliegtuig over, wat jammer was, want de lucht was er perfect voor, blauw als op vakantiefoto's.

'Kom op!' drong Vera aan. 'Anders ga ik je kietelen, hoor.' Ze rolde alvast tegen Max aan en kriebelde hem met de bloem onder zijn neus.

'Het is gewoon een stinkende gouwe,' proestte Max, 'dat weet ik gewoon. Hatsjie.'

Max nieste zo hard dat de bloem uit Vera's hand vloog. Max wist plotseling hoe hij het wist. Soms hoorde hij op de radio mensen over dieren en planten praten. Ze draaiden er pianomuziek bij. Daar had iemand een keer iets over boterbloemen verteld. En dat er heel veel mensen waren die boterbloemen verwarden met stinkende gouwen. Maar hij zei het niet tegen Vera. Ze zou hem beslist uitlachen. Daar heb je Max weer die 's ochtends als zij nog sliep stiekem naar de radio luisterde en deed alsof hij grote mensen begreep.

'Nu is de gouwe stinkerd weg,' piepte Vera intussen, en ze begon Max keihard te kietelen. 'Kom op, Max, ik ben een ridder en jij bent een paard.'

Max hinnikte hard.

En even later draafden ridder en paard door het veld vol bloemen.

Vissen

Max en Vera gingen vissen. Ze hadden allebei een hengel van bamboe. Aan Vera's lijn zat een rode dobber, aan die van Max een gele. Ze hadden ook een pot met wurmen. Daar waren vissen dol op. Die wurmen moest je aan de haak doen en dan hoefde je alleen maar te wachten tot je beet had. Dan ging de dobber onder en had je een vis gevangen.

'Kunnen we niet zonder een wurm aan de haak vissen?' vroeg Vera voorzichtig. 'Ik vind het zo zielig…'

'Jawel,' zei Max, 'met een bolletje brood. Maar dan krijgt de vis de haak ook in zijn bek. Je kan het haakje losmaken, hoor, daar gaat de vis niet dood van.'

'Maar als de vis de haak nou doorslikt?' vroeg Vera. 'Dan komt-ie in zijn maag en dan…'

'Hij slikt hem niet door,' stelde Max haar gerust, 'daar is de haak veel te groot voor en de vis te klein.'

Vera aarzelde. 'Ik vind het toch zielig,' zei ze toen ferm, 'voor de wurm.'

Max haalde zijn schouders op.

'Oké,' zei Vera, 'laten we maar gaan. Dan vang ik wel niks.'

Ze liepen naar de sloot achter in de tuin. Vera kreeg ook nog bijna het puntje van Max zijn hengel in haar oog.

Maar toen ze eenmaal zaten, viel het mee. Maar je moest bij het inwerpen wel oppassen dat de lijn en de dobber en de haak niet in de bomen bleven hangen. Verder moest de dobber natuurlijk op een mooi plekje in het water terechtkomen; hij moest door de wind niet meteen in het riet worden geblazen. Als dat allemaal achter de rug was, moest je gaan zitten zonder in de modder uit te glijden. Gedoe was het wel, dat vissen.

Daarna begon het turen naar de dobber.

En na een tijdje werd dat turen staren.

En van dat staren kregen ze zere ogen.

En daarna zagen ze de dobber niet meer.

Dan moesten ze flink met hun ogen knipperen en ging het weer een tijdje. Uit verveling begon Max naar Vera's dobber te kijken en zij naar die van hem. Zo ging de middag voorbij.

Als ze zich zouden vervelen kon Max altijd nog naar Vera's dobber kijken en zij naar die van hem. Zo ging een middag snel voorbij.

Toen gebeurde het.

Rond de rode dobber kwamen voorzichtig kringen in het water. Het puntje wiebelde.

'D'r zit een vis bij jou,' fluisterde Max tegen Vera.

'Gétverderrie, wat eng,' fluisterde Vera geschrokken, 'mogen we nou niet meer hardop praten?'

Max schudde het hoofd, heel ernstig.

De rode dobber wipte op en neer en verdween ineens onder water.

'Ophalen!' riep Max.

Vera liet bijna haar hengel vallen. Maar net op tijd haalde ze hem toch maar omhoog. De lijn flikkerde in het zonlicht. Aan het uiteinde flapperde een vis, geen grote, maar toch

duidelijk een vis. Hij had een oranje buik en een gele staart.

'Een vis!' jubelde Max. 'Je hebt een vis gevangen!'

Dat zag Vera ook wel. Hij bungelde recht voor haar neus. Max pakte hem beet en wurmde voorzichtig het haakje los. Toen gaf hij hem aan Vera.

'Goed vasthouden,' zei hij.

Maar Vera had nog nooit een levende vis in haar handen gehad en het glibberde verschrikkelijk, dus voor ze het wist, verdween hij tussen haar vingers. Met een kleine plons viel hij weer in het water.

'Dan beginnen we opnieuw,' mompelde ze teleurgesteld, en ze maakte een nieuwe wurm aan de haak vast. Vissen was misschien niet leuk, maar wel spannend, soms – heel even-tjes.

Sluipen

Max en Vera liepen door het bos achter hun huis. Ze kwamen er niet zo vaak. Er viel weinig te beleven. Eigenlijk was het niet eens een bos, maar gewoon een groep bomen met twee paadjes, een zandverstuiving en een heuvel die meer een hobbel dan een berg was. Toch namen ze er af en toe een kijkje, want je wist nooit wat je er tegenkwam.

Het had die ochtend hard geregend, maar nu scheen de zon. In het bos merkte je dat niet zo. De bomen drupten nog na. Op ieder blaadje lagen wel een paar druppels die langzaam naar beneden vielen. Ze tikten op de grond. Ook was het een beetje koud.

Het was vreemd dat Max en Vera uitgerekend deze middag hadden gekozen om hier naartoe te gaan. Maar Max wilde het per se, want er waren jonge konijnen, zei hij, en die kon je goed besluipen. Max was dol op sluipen. Mooi werk vond hij dat.

Vera vond het minder leuk. Maar als het moest, dan moest het. Er waren ook dingen die zij soms per se wilde en dan deed Max zuchtend mee. Zo ging het nu eenmaal als je met z'n tweeën was.

'Sst,' deed Max toen ze halverwege het bosje waren.

Vera stond meteen doodstil. Er viel een koude druppel op haar hoofd.

'Ik hoor ze,' fluisterde Max.

'De konijnen?' vroeg Vera. Ze hoorde niets, behalve het tikken van de vallende druppels. Ze kon niet geloven dat Max de konijnen wél kon horen en zij niet.

'Sstt,' siste Max, 'ze mogen ons niet horen.'

Vera knikte.

Max bukte. Hij sloop naar een grote boom. Hij hing bijna met zijn neus op de grond. De kunst was om niet op een tak te trappen, want die kon breken en dat gaf lawaai. Bij de boom drukte hij zich tegen de stam. Vera kwam nu ook dichterbij. Ze keek naar de grond. Iedere stap die ze zette kon ze goed zien. Ze zag dat ze een grote groene vlek op haar schoen had. Waar kwam die nou vandaan? Toen botste ze tegen Max op.

'Sst!' deed Max meteen weer.

Vera gaf geen kik.

Daar stonden ze, tegen elkaar aan en tegen de boom. Vera hoorde geritsel, niet zo ver van hen vandaan. Ze kneep in Max z'n schouders en fluisterde in zijn oor: 'Ik hoor ze.'

Max knikte.

Aan de overkant van het pad stond een andere boom. Van

daaruit kon je de open plek in het bos zien, waar het zand lag. Daar hadden de konijnen hun hol.

Max begon alweer te sluipen. Deze keer op handen en voeten, maar zonder dat zijn knieën de grond raakten. Dan konden de konijnen hem vanaf de top van de heuvel niet zien. Het was alleen vervelend dat er een plas op het pad lag, een vieze modderplas. Maar Max was zo geconcentreerd bezig dat hij het pas merkte toen hij er middenin stond. Met handen en voeten. Vera was zelfs even bang dat hij erin weg

zou zakken. Dat gebeurde ook een beetje, maar Max ging snel verder en verschool zich toen achter een boom.

Vera stak over. Midden op het pad hurkte ze om zich kleiner te maken. Ze ging om de plas heen. Toen schoot ze verschrikkelijk in de lach, ze kon er niets aan doen – Max' buik en borst waren helemaal zwart van de modder, en ook zijn gezicht. 'Max,' riep ze uit, 'zo schrikken de konijnen van je!'

Max keek Vera aan.

'Nou zijn ze weg,' zei hij verontwaardigd, en wreef de modder uit zijn ogen. 'Stommerd!'

Vera lachte.

Bloedneus

Het was lente, de zon scheen. Max en Vera waren druk. Druk met niks. Dat had je wel eens. Ze liepen heen en weer. Dan het huis in, dan er weer uit. En als ze dan in de tuin waren, moesten ze opeens iets van zolder halen. Waren ze op zolder, dan wisten ze niet meer wat ze daar ook alweer kwamen doen. Zo'n dag was het dus, maar Max en Vera lieten hun humeur er niet door bederven.

Toen liep Max tegen een deur. Vera liep voor hem. Ze waren weer eens onderweg naar boven. Vera vergat de deur voor Max open te houden. De deur sloeg vlak voor zijn neus dicht, nou ja – vlak?

Nee, precies ertegenaan!

'Auw!' riep Max.

Vera hoorde hem niet, want de deur zat ertussen. Pas toen ze op de trap was, miste ze Max. Waar was hij nou? Ze holde naar beneden, maar struikelde over een losliggend stuk vloerbedekking. Ze viel plat op haar gezicht. Jee, dat deed pijn. Vooral aan haar neus. Ze wreef erover. Het leek wel alsof het puntje scheef zat.

De deur ging open.

Daar was Max.

Hij keek een beetje beteuterd. Ook hij wreef over zijn neus. Hij zag Vera. Ze keek hem met grote ogen aan.

'Wat is er?' vroeg Max.

'Je hebt bloed,' zei Vera. 'Er komen hele dikke druppels uit je neus.' Ze werd helemaal bleek terwijl ze het zei. Haar eigen neus deed ineens een stuk minder pijn.

Max keek naar zijn hand. Die was rood van het bloed. Hij liep naar de spiegel in de gang. Dikke donkere druppels vielen op zijn trui en op de grond.

'Wat ga je doen?' vroeg Vera bezorgd.

'Kijken natuurlijk,' zei Max. Hij had nog nooit een bloedneus gezien. En nu had hij er eentje.

Hij bekeek zichzelf. Zijn neus zat er nog helemaal aan. Niets aan de hand. Maar uit de gaten druppelden twee streepjes bloed naar zijn mond. Het stond wel stoer. Maar toen hij er wat langer naar keek, voelde hij hoe zijn benen begonnen te trillen. Hij werd ook een beetje misselijk. Hij keek gauw de andere kant op, naar Vera die aan háár neus friemelde.

'Ik wil ook een bloedneus!' riep ze. Ze flapte het eruit voor ze er erg in had.

Max dacht na. Hij kneep ondertussen in de bovenkant van zijn neus. Het bloeden hield langzaam op. Het begon een beetje pijn te doen en hij bewoog voorzichtig de neus. Maar er was niets gebroken. Hij liep naar de keuken om wat tissues en een ijsblokje te pakken.

Vera kwam achter hem aan. Zo'n dag was het immers. Ze liepen maar achter elkaar aan. En toen Max even niet oplette en de koelkast opentrok om een ijsblokje te pakken, knalde de deur tegen Vera aan en raakte precies het puntje van haar neus.

De eerste bloeddruppeltjes vielen op de keukenvloer.

'Au,' riep Vera. 'Max, nu heb ik ook een bloedneus!'

Ze klonk nog blij ook.

Een omelet

Max en Vera gingen drie eieren bakken, want meer hadden ze niet. Ze hadden het nog nooit eerder gedaan. Maar toch wisten ze er alles van. Je kon van drie eieren een omelet maken, of een roerei. Je kon ze ook gewoon bakken, en dan zo dat de dooiers heel bleven. Maar ze lek prikken kon ook, dan liep het geel weg.

'Waar heb jij zin in?' vroeg Max. Ze hadden afgesproken dat hij de koekenpan zou bedienen. Vera mocht de eieren doen. Ze stonden allebei op een stoel bij het fornuis. Een beetje eng was het wel.

'Een omelet,' antwoordde Vera meteen, want dan moest je de eieren klutsen. Dat was nog eens leuk. Vooral het mixen. Dat maakte ook zo'n gezellig lawaai. Net echt.

'Ik wil geen omelet,' bromde Max.

'Je hebt er nog nooit eentje gehad, Max,' riep Vera, 'daarom heb je er geen zin in. Je weet niet wat het is.'

'Ooh,' zei Max onnozel.

'Dus als je mij nou even dat bakje geeft,' zei Vera stoer, 'dan gaan we er een maken.'

Max pakte een plastic schaaltje en zette het bij Vera neer. Het wiebelde.

'En nu de mixer,' zei Vera. Niet alleen het schaaltje wiebelde, ook Vera wiebelde, of beter gezegd: de stoel waar ze op stond wiebelde. En ze had ook nog een ei in haar hand.

Max trok een keukenkastje open. Hij had geluk. De mixer stond vooraan. Het was een groot, wit apparaat waaruit twee slagroomkloppers staken. Er zat een lang snoer aan met een stekker. Hij begon wat bang te worden. Max hield niet van stroom. 'En nu?' vroeg hij aan Vera.

'Stop hem in het stopcontact en dan mixen we de eieren,' zei Vera.

Het klonk veel te stoer, vond Max. Hij aarzelde. 'Kom nou eerst van die stoel af,' zei hij tegen Vera. Hij probeerde heel vriendelijk te klinken.

Vera liet het ei uit haar handen vallen. 'Zie je nou wat je doet!' gilde ze naar Max.

Max had helemaal niks gedaan. Hij stond alleen maar met een grote mixer in zijn hand. Hij wilde wat terugroepen, maar toen zag hij dat het schaaltje van het aanrecht viel. Nog even, en Vera zou ook vallen.

Toen viel er nog een ei.

'Max, help!' riep Vera.

Max liet de mixer los. 'Au!' schreeuwde hij. De mixer viel

op zijn voet. Hij hinkte naar Vera. Hij zag haar wiebelen op
de stoel. Ze kon ieder moment vallen. Hij moest haar redden.
En anders het derde ei wel dat nog steeds heel was. Toen
gleed Max uit in een van de kapotgevallen eieren. Hij kwam
met zijn voeten tegen Vera's stoel aan. Zij viel nu ook.

Boven op Max.

'Je hebt me gered!' riep Vera blij. Ze had zich niet bezeerd.

Op dat moment viel het derde ei van het aanrecht, boven
op Vera's hoofd. Het eigeel droop langs haar neus, zo in Max'
ogen. Het was nog niet zo makkelijk om een omelet te bakken.

De ruzie

Max had iets gedaan wat Vera niet leuk vond en toen had Vera iets gezegd waar Max boos van werd en toen werd Vera ook boos, en ze gaf Max een stomp en toen sloeg Max haar terug en toen hadden ze ruzie.

Daar was het trouwens helemaal geen dag voor. Het was een mooie dag, de zon scheen en toch was het koud. Als je buiten liep kwamen er pluimen uit je mond. Het leek op rook, maar het was adem. Je kon er rondjes mee blazen.

Maar goed, Vera en Max hadden ruzie. Het vreemde was dat ze niet eens precies wisten waarover. Wat had Max nou gedaan? En waarom vond Vera het niet leuk?

Gek was dat.

Dus na een tijdje vonden ze er niks meer aan om ruzie te maken. Ze gingen elk in een hoek van de kamer zitten. Max bij het raam en Vera bij de kast. De kamer lag vol rommel en speelgoed. Af en toe keken ze nog een beetje boos naar elkaar. Meer was er van de ruzie niet over. Max dacht dat de ruzie begonnen was toen hij tijdens het spelen aan Vera's haar had getrokken, maar dat hij niet expres gedaan, hoewel hij haar

knoetjes wel een beetje stom vond. Vera had toen 'sproeten-kop' geroepen, maar omdat je aan sproeten niets kon doen en aan je haar wel, was Max boos geworden en omdat Vera een hekel aan een boze Max had, waren ze gaan slaan, knijpen en stompen. Nu had Max er spijt van.

Vera dacht ook na. Volgens haar was de ruzie begonnen omdat Max haar poppetjes had omgeschopt. Ze waren marktje aan het spelen en zij had een kraam met allemaal mensen eromheen die dingen wilden kopen. Max had er ook eentje, maar bij hem kwam niemand. Toen moest hij opeens plassen en onderweg naar de WC had hij haar klanten omver geschopt. Ze riep dat *hij* gemeen was. Max riep dat *zij* stom was.

Daarom had Vera hem een klap gegeven en zo was het begonnen.

Nu was de ruzie voorbij. Toch was er nog genoeg van over om kwaad naar elkaar te kijken.

Het leek wel alsof ze wilden weten wie het het langst kon volhouden om boos te zijn. Maar ze begonnen elkaar ook te missen. Dat was raar.

En zowel Max als Vera voelde na een tijdje de boosheid wegzakken. Ze konden gewoon weer gaan spelen. Ze waren vergeten wat er was gebeurd.

Het blad

De tuin lag vol bladeren: rode bladeren, bruine, gele, oranje – duizenden bladeren –, allemaal lekker droog en ze knisperden als je eroverheen liep. Het was een perfecte dag om ze bij elkaar te harken, op een berg.

Max en Vera pakten ieder een hark. De blaadjes dwarrelden om hen heen en de berg werd steeds hoger. Toen ze bijna klaar waren, zagen ze dat er nog één boom stond die wat bladeren aan zijn takken had. Alle andere bomen waren kaal: als rare mannen stonden ze met veel te veel armen en benen in de lucht te zwaaien.

De boom met de blaadjes stond in de hoek van de tuin, het was een eik. Hij was heel groot. Er hingen nog vier blaadjes aan, behoorlijk hoog. Drie waren bruin met een krul erin, de vierde was nog groen en zag eruit alsof hij geen zin had in de herfst.

Max en Vera begonnen aan de boom te schudden. Dat viel niet mee, want de boom was dik. Zelfs als ze hem allebei omhelsden konden ze elkaar niet aanraken, zo dik was de boom. Toch vielen de drie bruine blaadjes naar beneden.

Het was een mooi gezicht, zo langzaam als ze door de lucht dwarrelden. Het leken wel veertjes uit een oud kussen dat bij een kussengevecht was opengescheurd. De blaadjes kwamen heel zachtjes op de grond terecht.

Max en Vera werden er stil van. Ze keken omhoog. Het ene, laatste blad hing nog trots aan zijn tak. Omdat de lucht heel blauw was, leek het blad ontzettend groen. Alsof het er nog maar net hing, helemaal vers en klaar voor een lange zomer. En een beetje verbaasd dat hij alleen was, dat wel.

Max en Vera keken elkaar aan.

'Dat blad moet ook vallen,' zei Vera. 'Het is herfst.'

'Maar het is nog wel heel groen. Misschien is het per ongeluk heel laat uitgekomen,' zei Max.

'Dan moeten we het redden,' zei Vera, 'want als het gaat vriezen, gaat het dood.'

Max haalde de ladder uit de schuur en Vera klom erop.

De ladder was bijna te kort. Vera moest op de hoogste sport op haar tenen gaan staan om bij het eikenblad te kunnen.

Max moest beneden de ladder heel goed vasthouden. Het was best eng, maar het lukte en Vera plukte het blad van de tak. Het zat losser dan ze gedacht had en ze voelde ook meteen al dat het eigenlijk een gewoon herfstblad was, droog en knisperend als een oude krant. Ze moest toen ze naar beneden klom oppassen dat ze het niet tussen haar vingers tot honderden kleine korreltjes verkruimelde, zo broos was het.

Beneden gaf ze het blad aan Max. Samen keken ze ernaar. Het was wonderlijk dat zo'n mooi eikenblaadje dat er zo groen, jong en springlevend uitzag eigenlijk oud, dor en dood was. Maar mooi dat ze nu wel een helemaal kale tuin hadden. Ze legden het laatste blad op de berg oude bladeren. Ze waren trots op hun werk.

De wedstrijd

Max en Vera zaten aan tafel. Ze zaten recht tegenover elkaar. Ze keken elkaar aan, maar ze zeiden niets. Dat was het spelletje. Ze vonden het heel spannend, want wie het het langst kon volhouden om niet met zijn ogen te knipperen, had gewonnen. Het was wel naar dat ze er soms zere ogen van kregen. Dan voelden ze stijf van het staren of gingen tranen.

Wat het spel ook bijzonder maakte, was dat je er elkaars ogen zo goed door leerde kennen, daar was veel aan te zien.

Zo had Max groene ogen waar kleine, donkere spettertjes in ronddreven – rond de pupil, die natuurlijk zwart was. Hij had lange wimpers die omhoog krulden. Aan de onderkant van zijn ogen had hij korte wimpertjes. Als hij zijn ogen dichtkneep, grepen ze als de armpjes van een graafmachine in elkaar. Vera vond het leuk om ernaar te kijken. Niet alleen omdat ze dan, als Max zijn ogen dichtdeed, wist dat ze gewonnen had; ze vond het ook gewoon mooi. Het gaf het gezicht van Max iets van een engel, alsof hij van porselein was.

Vera's ogen waren bruin, tenminste zo noemde je die kleur. Eigenlijk was het meer het lichtbruin van karamel met een gouden gloed eroverheen. Ze glinsterden als stenen, heel bijzondere ogen, vooral van dichtbij. Als Max er een tijdje in keek, werd hij er altijd een beetje verlegen van en begonnen zijn benen te bibberen. Het kwam natuurlijk omdat die ogen zo mooi waren. Dat wist hij ook wel, maar hij gaf het liever niet toe.

Max en Vera noemden hun spelletje Staarstrijd. De stand was 2-2. Ze hadden allebei twee keer hun ogen dichtgedaan. Vera was een keer in de lach geschoten. Dus verloor ze sowieso. Niemand kon lachen zonder met zijn ogen te knipperen. Waarom ze had gelachen, was ze vergeten. Waarschijnlijk om Max, hij keek soms een beetje uilig en dat vond ze grappig.

Het potje Staarstrijd duurde al minutenlang. Af en toe wierpen Max en Vera een blik op de keukenwekker, die op tafel stond. Hierbij moesten zij elkaar goed in de gaten houden, want wie op de klok keek, knipperde soms stiekem met zijn ogen. En soms ging het knipperen vanzelf, per ongeluk.

Ze moesten bij Staarstrijd ook niet te veel praten, dan was het spannender. Maar af en toe zeiden ze toch iets. En als een van hen dan in de lach schoot, had de ander gewonnen. Gekke dingen zeggen kon dus helpen in de strijd.

'Er zit een mug op je neus,' zei Max op een gegeven moment. Zijn ogen deden al behoorlijk pijn van het staren.

'Niet waar, je jokt,' zei Vera meteen. 'En jij hebt zelf bloed aan je oor.' Haar gloeiende kijkers kleefden aan die van Max.

'Aan m'n oor?' vroeg Max.

'Kijk, er valt een druppel,' zei Vera poeslief. Haar ogen keken heel geheimzinnig, alsof er mist overheen lag. Max raakte ervan in de war. Of kwam het door zijn bloedende oor? Hij voelde eraan.

'Grapje,' zei Vera.

'Hè,' zei Max een beetje boos.

Ze keken elkaar nog steeds aan en ze wisten allebei even niet wat ze nu moesten zeggen.

Max zag alleen nog de karamelkleur van Vera's ogen en zij het groen van die van Max.

De keukenwekker tikte. De spanning was om te snijden. Elkaar in de ogen staren was echte topsport.

Koetje

'Max! Max! Het konijn is weg!' Vera riep het zo hard ze kon en stormde de trap op.

Max deed net alsof hij sliep.

'Max! Wakker worden!' Vera rende de slaapkamer in en begon aan de dekens te sjorren.

'Huh? Huh?' Max deed net alsof hij wakker werd en niet wist waar hij was. Hij wreef in zijn ogen en ging rechtop zitten. 'Wat is er? Brand?'

'Het konijn is weg!' riep Vera.

'Ooooh,' zei Max sloom. Hij wist best waar het konijn was. Hij wilde Vera alleen maar plagen. Hij hield wel van een geintje.

'Opstaan, Max! Kom op! We moeten hem zoeken!' Vera was helemaal in de war. Ze huilde bijna. Ze begon aan Max te trekken. Zuchtend kwam hij uit bed en kleedde zich snel aan. Even later holden ze de trap af.

Het konijn hadden ze een week eerder in de tuin gevonden. Onder de struiken. Het was lief en klein, en wit met zwarte vlekken, net als een koe. Daarom hadden ze hem

Koetje genoemd, maar dat was toch een beetje een domme naam, want hij luisterde er niet naar. Hij spitste alleen zijn grote oren als je 'konijn' zei en hem grote winterwortels gaf. Toch hadden Max en Vera een mooi hok voor hem gebouwd en daar woonde hij in.

Alleen was het hok nu leeg.

'Hoe kan dat nou, Max? Heeft iemand hem gestolen?' vroeg Vera benauwd. Ze wees naar de deur van het hok. De deur zat dicht. Ze kon zich niet voorstellen dat ze hem gisteravond, toen ze Koetje zijn wortels gaf, open had laten staan en dat hij ervandoor was gegaan, maar eerst nog even de deur op slot had gedaan. Zo waren konijnen niet.

'Kijk eens omhoog,' mompelde Max. Hij had medelijden met Vera. Straks zou ze wel eens helemaal niet om zijn grap kunnen lachen.

Vera keek omhoog.

Haar mond viel open.

Max keek ook.

Zijn mond bleef dicht.

Vera snapte er niets van. 'Ik begrijp het niet, Max, Koetje zit in de boom,' hakkelde Vera. 'Hoe kan een konijn nou in een boom komen?'

Max haalde zijn schouders op, alsof hij het ook niet begreep. Maar vanochtend was hij vroeg opgestaan en had Koe-

tje uit zijn hok gehaald. Hij was op een stoel gaan staan en had hem op de onderste dikke tak van de dikke boom neergezet. Hij wist eigenlijk niet waarom. Hij was wakker geworden met het idee van een konijn in een boom. Dat leek hem wel grappig.

'Kijk nou hoe zielig,' fluisterde Vera. Ze keek om zich heen of ze iets zag waar ze op kon klimmen om Koetje te bevrijden.

Het konijn was erg zielig. Dat zag Max ook wel. Koetje hield zich met alle vier zijn pootjes aan de tak vast en zijn oren hingen naar beneden. Zijn neus ging op en neer. Het was duidelijk geen gezicht, een konijn in een boom. Trouwens, een koe in een boom zou ook niet kunnen.

'Max…' zei Vera ineens streng, 'Max… heb jij hem soms in de boom gezet?'

'Ikke?' vroeg Max dom.

'Ja jij. Volgens mij wel. Ik hoorde je vanochtend heel vroeg al.'

'Ik moest plassen.'

'Nietes. Ik hoorde geen wc. Je ging naar beneden.'

Max keek Vera aan.

'Je bloost,' riep ze uit, 'gemene dierenbeul. Kijk nou naar Koetje! Hij bibbert helemaal.'

Max keek naar het konijn. Ineens had hij weer een idee. Hij sprong omhoog en riep heel hard: 'Boe!' Daar schrok Koetje zo van dat hij van de tak viel. Max ving hem keurig in zijn armen op en gaf hem meteen aan Vera.

'Zo goed?' vroeg hij, en hij lachte zo mooi als hij kon.

Tegelijk

Op een ochtend zaten ze in de tuin. Max was in het gras zijn knikkers aan het tellen en Vera had alle potloden te voorschijn gehaald om er nieuwe punten aan te slijpen. Dat was een leuk karweitje. Het rook heerlijk. Max had intussen honderdnegen knikkers in cirkels gelegd: de stuiters in het midden, de vlammetjes en kleine, stalen knikkers eromheen. Toen hij klaar was, schoot hem ineens iets te binnen.

'Ik hoor de puntenslijper,' zei hij tegen Vera die net een lang, rood potlood in de puntenslijper ronddraaide.

'Nou en?' zei ze. Ze begreep niet goed wat Max bedoelde.

'Maar ik kan tegelijkertijd ook knikkers tellen,' zei Max dromerig, 'en de bloemen ruiken.'

Vera keek op van haar werkje. Aan het einde van de tuin, bij de sloot, groeiden bloemen die een heel zoete geur hadden. Nu rook zij ze ook.

Vreemd, dacht ze, dat je twee dingen tegelijk kon ruiken: de potloden én de bloemen. Ze draaide verder aan de puntenslijper.

'En ik kan ook tellen én aan iets anders denken,' ging Max

verder, 'aan kikkervisjes bijvoorbeeld.' Zijn stem klonk opgewonden. Laatst hadden ze een emmer kikkervisjes uit de
sloot gehaald. Die stond nu lekker in het zonnetje. Als ze
lang genoeg wachtten, kwamen er kikkers uit de vissen.

Vera dacht na. Ze was klaar met het rode potlood en voelde met haar duim aan de punt. Die was lekker scherp. Ze legde het bij de andere potloden die klaar waren. Ze keek welke
ze nu zou doen. Ze vroeg zich af of het bijzonder was wat
Max zei. Ze dacht van wel, want ze hoorde Max terwijl ze zelf

iets aan het doen was en iets dacht en ook nog bloemen en potloden rook. Eigenlijk was het een wonder, dat alles tegelijk kon.

'Hoor je de poedels?' vroeg Max.

In de verte klonk hondengeblaf.

'Tuurlijk,' antwoordde Vera, 'en ik zie jou en ik hoor jou en ik ruik de potloden en de bloemen.'

'Gek, hè,' mompelde Max, 'en waar denk je aan?'

Vera dacht toevallig net aan haar maag die rommelde. Het was een geluid dat je voelde in plaats van dat je het hoorde, hoewel hij ook zo hard kon rommelen dat het weer écht geluid was.

'Ik heb honger,' zei ze.

'Ik heb zin in aardbeien,' ging Vera verder. Ineens proefde ze de smaak van aardbeien in haar mond. De smaak was zo sterk dat er vanzelf allemaal speeksel in haar mond kwam.

'Wat gek,' zei Max, 'ik dacht ook aan aardbeien. Maar ik hoorde gerommel.'

'Dat was ik,' riep Vera uit. Ze had een groen, een geel en een paars potlood in haar hand.

Max keek haar aan.

'Mijn buik,' zei Vera, 'mijn buik rommelde.'

'Hoorde ik dat?' vroeg Max verbaasd. 'Ik dacht dat het onweer was of dat het de poedels waren.' Hij was erg onder de indruk van wat ze ontdekt hadden. Namelijk dat heel veel dingen tegelijk gebeurden, en dat niet alleen: ze kwamen ook dwars door elkaar bij je naar binnen.

Geluiden, geuren, gedachten, prikkels van gras aan je knieën, de zon in je nek, het gevoel in je buik. Wat je zag en waaraan je dacht, het ging allemaal tegelijk. Het leek wel een kermis.

'Zullen we naar binnen gaan?' vroeg Vera. Ze stond op.

Samen liepen ze een beetje duizelig de tuin uit, het huis in. Het leek wel alsof ze in een draaimolen hadden gezeten. Al die geuren, kleuren, smaken, geluiden en gedachten. Brrr.

vanaf 4 jaar

ISBN 90 00 03547 3

NUR 281

Frank Tashlin,

De beer die geen beer was

Vertaald door Hafid Bouazza

Een satirische fabel voor volwassenen;
een bijzonder leuk verhaal voor kinderen!

Als een Beer na zijn winterslaap zijn hol uit komt, staat hij tot zijn
stomme verbazing midden in een fabriekshal. Boven zijn hol is
een fabriek gebouwd. De Ploegbaas vraagt hem meteen waarom
hij niet aan het werk is. Als de Beer zegt dat hij een Beer is en dat
Beren niet hoeven te werken, wordt hij op het matje geroepen.
Evenals later de Chef, de Onderdirecteuren en zelfs de Directeur,
ziet ook de Ploegbaas alleen een ongeschoren man met een bont-
jas aan, wat de Beer ook zegt.

www.van-goor.nl

vanaf 8 jaar

ISBN 90 6494 095 9

NUR 282

Erlend Loe,

Koen

Een uniek, absurd avontuur van een vorkheftruckchauffeur

Koen is vorkheftruckchauffeur. Hij heeft een snor, een lieve vrouw en drie kinderen.

Als Koen op een dag een heel grote vis op de kade vindt, verandert zijn leven totaal. Nu hij zo veel eten heeft, hoeft hij niet meer te werken en dus besluit hij samen met zijn familie op wereldreis te gaan. Met de vorkheftruck én natuurlijk met de vis!

www.van-goor.nl

vanaf 5 jaar

ISBN 90 00 03486 8

NUR 281

Hans Hagen,

Zwaantje en Lolly Londen

Drie weken na Zwaantjes verjaardag wordt haar cadeautje gebo-
ren: een hond, geen speelgoed, maar een echte!
Zwaantje moet een Engelse naam verzinnen die met een L begint.
Liefje, Leukje, Loempia...
En dan ineens weet ze een mooie hondennaam:
Lady Lolly Londen.

Misschien ken je Zwaantje al. Zeven verhalen uit dit boek stonden
eerder in *Okki*.

www.van-goor.nl

www.hanshagen.nl

www.philiphopman.nl

vanaf 7 jaar

ISBN 90 00 03557 0

NUR 286

Ole Lund Kirkegaard,

Orla de Kikkerslikker

Het is niet altijd leuk om klein te zijn. Vooral niet als de lefgozers in de buurt zijn. De ergste lefgozer heet Orla. Orla de Kikkerslikker. Omdat hij ooit een keer een levende kikker heeft opgegeten, zeggen ze. Orla is lang en dun en heeft een wit gezicht. Niemand van de kinderen durft bij hem in de buurt te komen. Ze zijn allemaal doodsbenauwd voor Orla. Maar wie klein is, moet slim zijn. Ook al geloof je er zelf niet in!

Dit is een speciaal makkelijk-lezenboek.

www.van-goor.nl